D0608631

Kakiwahou

Kakiwahou

A.P. CAMPBELL
Adaptation de CÉCILE GAGNON

Illustrations :
SIMON TRUDEAU

Données de catalogage avant publication (Canada)

Campbell, A. P. (Alphonse Patrick)
[Kaki-Wahoo, Français]

Kakiwahou

(Collection Libellule)
Traduction de: Kaki-Wahoo.
Pour enfants.

ISBN: 2-7625-4042-9

I. Gagnon, Cécile, 1938- II. Trudeau, Simon.
III. Titre. IV. Titre: Kaki-Wahoo. Français.
V. Collection.

PS8505.A46K314 1993   jC813',54 C93-096085-8
PS9505.A46K314 1993
PZ23.C35Ka 1993

Conception graphique de la couverture: Bouvry Designers Inc.
Illustrations couverture et intérieures: Simon Trudeau

Édition originale: © Les éditions Héritage inc. 1990
Réédition: ©Les éditions Héritage inc. 1993
Tous droits réservés

Dépôts légaux: 1er trimestre 1993
Bibliothèque nationale du Québec
Bibliothèque nationale du Canada

ISBN: 2-7625-4042-9   Imprimé au Canada

LES ÉDITIONS HÉRITAGE INC.
300, Arran, Saint-Lambert (Québec) J4R 1K5
(514) 875-0327

1

Il y a longtemps, bien avant la télévision et même bien avant l'invention de l'automobile, vivait un petit garçon appartenant à une tribu indienne d'Amérique du Nord. Il habitait près de la rivière Miramichi là où elle se divise en deux bras, l'un allant vers le nord, l'autre vers l'ouest.

Ce petit garçon amérindien s'appelait Kakiwahou. Il était en parfaite santé et se comportait de façon tout à fait normale, sauf sur un point : au lieu de marcher sur ses pieds comme tout le monde, il marchait sur la tête ! Disons plutôt qu'il sautillait car comment aurait-il pu avancer puisqu'il ne possédait qu'une seule tête ?

Déjà, quand il était tout petit, sa mère, qui le transportait sur son dos dans son porte-bébé, avait remarqué quelque chose d'étrange. Alors que les bébés de ses amies se tenaient tranquillement suspendus au dos de leur maman, Kakiwahou, lui, se tortillait et s'agitait tellement qu'il finissait toujours par se retrouver la tête en bas.

Puis, quand sa mère essaya de lui apprendre à marcher avec les autres enfants du village, Kakiwahou se tint alors bien droit sur sa tête en agitant ses pieds en l'air. Au début, tout le monde trouvait ça très drôle et on accourait de partout pour le

voir. Mais, à la fin, la maman de Kakiwahou s'impatienta :

— Bon, ça suffit, Kakiwahou! Il est temps que tu fasses tes premiers pas.

Mais malgré ses efforts répétés,

son fils ne pouvait pas se tenir sur ses jambes.

Quand il allait jouer dehors, les autres enfants se rassemblaient autour de lui et ils avaient beaucoup de plaisir à le voir sauter gaiement sur sa tête autour du village ; Kakiwahou ne s'offusquait pas de leurs rires et de leurs taquineries. Il croyait tout simplement qu'ils voulaient s'amuser avec lui.

Mais, à force de sauter sur le sol raboteux, Kakiwahou finit par se blesser à la tête. Sa maman le pansa et essaya mille et une fois de le convaincre d'utiliser ses jambes et ses pieds. Kakiwahou l'écoutait sagement et repartait aussitôt... sur la tête.

Sa pauvre tête était tout égratignée et écorchée par les racines et les cailloux des sentiers. Et, comme il pleuvait souvent dans la région, ses yeux et sa bouche s'emplissaient de boue malgré ses efforts pour éviter les creux et les trous.

2

Finalement, sa maman se résigna à voir Kakiwahou si différent des autres et elle décida de l'aider du mieux qu'elle pouvait. Elle l'appela donc dans le wigwam et lui retira ses mocassins. Puis après en avoir décousu les peaux, elle les tailla de façon à former une sorte de grand mocassin pour protéger la

tête marcheuse de son petit garçon.
Elle y découpa ensuite deux trous
pour les yeux et une petite ouver-
ture pour le nez.

Kakiwahou embrassa sa mère et
« coiffa » aussitôt son mocassin. Une
fois dehors, il se mit à sauter dans
les cailloux et les flaques de boue du
sentier avec des cris de joie.

Kakiwahou était un enfant heureux mais solitaire. Il passait beaucoup de temps tout seul. Il n'avait pas de véritable ami; personne ne le repoussait vraiment, mais les garçons n'osaient se montrer en sa compagnie et les petites filles se sauvaient en riant dès qu'il s'approchait pour leur parler.

Malgré sa solitude, Kakiwahou était content de pouvoir parcourir bois et forêts en toute liberté. Les plantes, les petits animaux, les ruisseaux n'avaient presque plus de secrets pour lui. Chaque jour lui faisait découvrir de nouvelles merveilles.

Et ce n'est pas tout. Grâce à son habitude de se tenir sur la tête, il apprit à lancer des cailloux plus haut et plus loin qu'aucun autre garçon de la tribu ne pouvait le faire.

Kakiwahou savait aussi où trouver des nids de pinsons ou d'orioles. Il connaissait également le meilleur endroit pour observer les loutres qui s'amusaient dans la rivière. Mais tous ces secrets, il les gardait pour lui. Ce sont des choses qu'on ne partage qu'avec un ami sûr. Et puisque Kakiwahou n'en avait pas...

Petit à petit, tous les habitants du village, les vieux comme les jeunes, s'habituèrent aux manières bizarres de Kakiwahou. Puis, vint le jour où les enfants de son âge furent conduits au village voisin auprès d'un chaman réputé qui serait leur maître. C'était un peu comme aller à l'école.

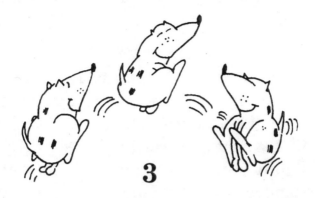

3

Quand Kakiwahou arriva à son tour sur les lieux, les anciens se mirent à se moquer de lui et à lui crier des injures. Le maître tenta plusieurs fois de le faire tenir sur ses pieds et le menaça de punition s'il ne se conduisait pas comme ses camarades.

Pour la première fois de sa vie,

Kakiwahou se sentit très malheureux. À la récréation, il se cacha derrière un grand pin et éclata en sanglots.

Le jour suivant, son père envoya un message au chaman, lui expliquant pourquoi son fils agissait ainsi. Le maître comprit et laissa Kakiwahou se tenir sur sa tête, même pour réciter ses leçons et prendre part aux jeux.

Kakiwahou devint un très bon élève. Il apprenait très vite. Mais il se battait souvent avec les autres garçons : c'était, pour lui, un moyen de se faire respecter. Il faut dire qu'il s'en tirait toujours avec honneur. Sa méthode était simple : il attrapait son opposant par les chevilles pour l'empêcher de bouger. Puis, il se servait de ses pieds comme de poings et frappait jusqu'à ce que l'autre, incapable de l'atteindre, demande grâce.

À vrai dire, les bagarres ne lui plaisaient pas tellement. Ce qu'il voulait surtout, c'est être aimé de tous. Mais ce n'était pas si simple.

En vieillissant, Kakiwahou commença à réfléchir au sens de la vie. Quand il entendait les vieux parler avec amertume de l'absence d'esprit patriotique chez les jeunes, Kakiwahou sentait une petite flamme brûler dans sa poitrine. Une grande envie d'être utile à son peuple et à sa tribu s'emparait de lui.

Il se disait souvent :

« Si seulement j'étais comme les autres garçons, je pourrais prouver aux miens ma vraie valeur et leur montrer de quoi je suis capable. »

Mais comme il n'entrevoyait pas du tout comment arriver à ses fins, il soupirait et se consolait en regar-

dant les loutres plonger et s'ébattre dans l'eau de la rivière Miramichi.

Et c'est justement au moment où il se désolait le plus de se sentir inutile et où il se demandait s'il ne ferait pas mieux de s'enfuir à tout jamais de son village qu'il se passa quelque chose d'extraordinaire.

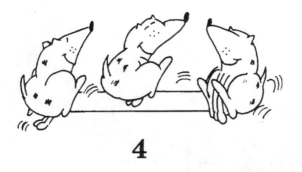

4

L'hiver était venu et une épaisse couche de neige recouvrait le pays. Les animaux et les oiseaux de la forêt, trouvant peu à manger, sortaient parfois de leurs retraites et on les voyait rôder autour des wigwams à la recherche de nourriture.

Un après-midi, un aigle gigantesque fonça du haut des airs. Il

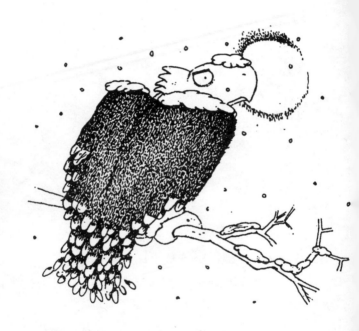

s'abattit sur un des hommes du village et le frappa si fort avec son bec crochu que l'homme tomba comme mort. On transporta le corps dans le wigwam le plus proche. Heureusement, le chaman réussit à le remettre sur pied grâce à des paroles magiques et à des tisanes d'herbes soigneusement choisies.

Mais l'aigle ne quitta pas le village. Il resta perché au sommet d'un arbre, épiant le moindre mouvement. Gare au premier étourdi qui s'aventurerait dehors!

Les chasseurs tentèrent de lui lancer des flèches, mais l'aigle était plus vif qu'eux. Il attaqua encore à plusieurs reprises dans la journée, tant et si bien que tout le village tremblait de peur. On décida de ne plus sortir des huttes car l'oiseau rapace veillait toujours, menaçant et féroce, même la nuit.

Bientôt, il ne resta plus un grain de maïs, plus une courge, ni même une pièce de viande séchée dans les maisons et les plaintes des enfants commencèrent à se faire entendre. Le chef cherchait désespérément une solution pour sauver son village de la famine et de la mort.

Et tout à coup, en plein soleil de midi, une personne osa sortir d'un wigwam et s'avança au milieu de la clairière.

C'était Kakiwahou. L'aigle noir se précipita aussitôt sur lui, ses grandes ailes déployées et son bec crochu prêt à frapper.

Au moment où l'oiseau allait le toucher, Kakiwahou lui donna deux coups de pieds de chaque côté de la tête et l'envoya rouler, tout étourdi, près d'un bouleau. L'aigle se releva et attaqua trois fois encore. Mais Kakiwahou, chaque fois, le mit hors de combat.

Honteux et renfrogné, l'aigle retourna se percher dans son arbre, surveillant les huttes silencieuses dans l'espoir que quelqu'un de moins hardi et de moins puissant que ce petit Indien se risquerait dehors. Mais seul Kakiwahou avait eu ce courage.

Les Indiens, d'un wigwam à l'autre, se mirent à discuter:

— Pourquoi ne pas demander à Kakiwahou d'aller relever nos pièges? disaient les uns.

— Il pourrait aussi prévenir les habitants de la bourgade voisine, suggéraient les autres.

Tout le monde tomba d'accord pour confier ces missions à Kakiwahou. Le chef l'appela à l'intérieur de sa hutte et lui donna ses instructions. Quelle ne fut pas la fierté de

Kakiwahou à l'idée d'être celui que le chef avait choisi pour venir en aide à tous les siens.

Il partit donc et, tout le jour, par sauts et par bonds, il rapporta de l'eau de la rivière et vida les trappes du gibier qu'elles contenaient. Il ne sentait pas la fatigue. Plus on le louangeait pour son beau travail, plus il redoublait d'efforts.

Le soir venu, l'aigle, dépité d'avoir été vaincu par Kakiwahou et ne voyant personne d'autre à qui il aurait pu s'attaquer, décida de quitter son poste pour aller chercher ailleurs sa nourriture. Et il s'envola à grands coups d'ailes.

Tous les habitants sortirent alors des huttes en hurlant leur admiration pour Kakiwahou, le sauveur de la tribu...

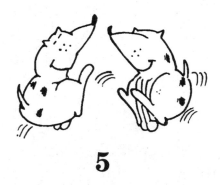

5

Les plus valeureux chasseurs et les chefs de clans entourèrent Kakiwahou et lui dirent:

— Nous sommes fiers de te compter parmi nous.

Et chacun pensait avec un petit pincement de cœur: «Nous aurions dû lui faire confiance depuis longtemps.»

Après de longues palabres, où l'on vanta le courage et le désintéressement de Kakiwahou, on en vint à la conclusion qu'il était digne de devenir chef de la tribu. Le vieux chef, qui était un homme d'une grande bonté, approuva sans hésitation le choix de son peuple envers celui qui avait si vaillamment affronté l'aigle noir. Il se leva, posa la main sur la tête du jeune Indien et déclara:

— À compter de ce jour, Kakiwahou est notre chef à tous! J'ai dit!

Kakiwahou protesta un peu pour la forme mais on fit bientôt cercle autour de lui et la grande fête commença. Dans le concert d'acclamations qui fusaient vers le ciel, on pouvait entendre les cris de joie des enfants, tout heureux d'avoir un chef aussi jeune.

Kakiwahou adorait son rôle de chef. Lors des assemblées, il se tenait très droit à la place d'honneur, balançant ses pieds avec dignité. Des pieds richement ornés de broderies et de plumes, mieux que la tête de tous les chefs indiens d'Amérique du Nord.

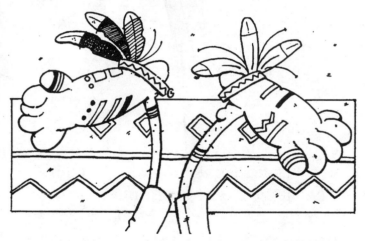

Les membres de la famille de Kakiwahou venaient lui rendre visite. Ses nombreux amis sollicitaient ses conseils et le comblaient de toutes sortes de présents.

Kakiwahou vivait en plein bonheur. Il promit solennellement à la tribu que l'aigle noir ne reviendrait jamais plus effrayer son peuple, et il tint sa promesse.

Puis, au fil des jours, le chef Kakiwahou réunit ses proches conseillers et proposa d'améliorer les lois qui régissaient la vie quotidienne. On discuta fort longtemps et on réfléchit encore plus longtemps.

Un bon matin, Kakiwahou envoya chercher le livre des lois et avertit son Grand Conseiller de proclamer une nouvelle ordonnance. On rassembla alors les gens de la tribu pour écouter la lecture. Une lecture qui les frappa d'abord de stupeur, autant que s'ils avaient revu l'aigle noir voler au-dessus de leur tête. Voici ce qu'ils entendirent :

« Tous les membres de la tribu doivent, à partir de ce jour, s'entraîner à marcher *sur la tête* et non plus sur les pieds. La famille et les amis du chef seront les premiers à donner l'exemple. Lorsqu'ils auront réussi, ils devront à leur tour instruire le reste de la tribu. Ce décret prend effet aussitôt après sa lecture. »

Seule la mère du chef fut exemptée de ce devoir, mais en retour elle se déplacerait sur un seul pied au lieu de deux.

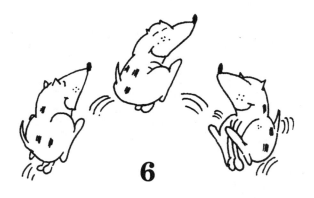

6

Les membres de la famille de
Kakiwahou et ses amis se mirent
donc à apprendre à marcher sur la
tête. Au début, ils s'exerçaient à
l'intérieur des huttes pour ne pas
être vus dans des positions ridicu-
les. L'oncle Amikoué tomba un jour
dans le feu. Tante Nika renversa la
marmite et se blessa au dos. Les

enfants pleuraient, les repas n'étaient jamais prêts et tout le monde était de mauvaise humeur.

Après deux semaines, l'obligation de marcher sur la tête s'étendit à toute la tribu.

Kakiwahou faisait régulièrement sa tournée pour vérifier les progrès accomplis. Sa gentillesse et sa bonne humeur avaient complètement disparu. Il était devenu cinglant et hargneux envers tout le monde. Il se moquait ouvertement de la gaucherie des siens et peu à peu on sentait monter la colère parmi les gens.

À la fin, les chefs de clan se fâchèrent pour de bon. Ils frappèrent Kakiwahou et le démirent de la fonction de chef. Dans le fauteuil vide, ils réinstallèrent le vieux chef en lui présentant mille excuses.

Humilié, Kakiwahou reçu l'ordre de s'en aller très loin du village en suivant le bras de la Miramichi qui va vers le nord. C'était l'exil. Ayant perdu tout espoir de réparer le tort causé par l'absurde loi qu'il avait décrétée, il descendit donc une dernière fois à la rivière pour observer

les loutres. Puis, après avoir jeté un dernier coup d'oeil au nid de pinsons qu'il avait découvert récemment, il fit un baluchon de ses vêtements et s'en alla tristement sur le sentier, sous les insultes de tous les habitants de son village.

Les voix s'estompèrent petit à petit et il se retrouva fin seul. Dans sa tête se bousculaient les pensées mélancoliques propres aux rois déchus et aux chefs exilés.

Il s'arrêta un moment et entendit une voix douce murmurer dans la nuit :

— Kakiwahou, attends-moi !

La voix répéta :

— S'il te plaît, attends !

Muet d'étonnement, Kakiwahou vit tout à coup sortir de l'ombre une toute petite Amérindienne sautant sur la tête avec presque autant d'aisance que lui. Elle s'approcha et dit :

— Je veux aller avec toi. Je te suis depuis longtemps. J'avoue que j'ai couru un peu sur mes pieds pour te rejoindre plus vite, mais regarde, je sais marcher sur la tête, comme tu le fais.

— Je vois, dit Kakiwahou.

— Avant que tu ne deviennes chef, j'aurais voulu jouer avec toi mais mes compagnes riaient de moi quand j'en parlais. Maintenant, j'ai envie de faire route à tes côtés.

Un sourire illumina le visage de Kakiwahou. Escorté de la petite Amérindienne qui marchait sur la tête, il suivit le bras de la Miramichi qui va vers le nord. Ensemble, ils marchèrent très longtemps. Et

55

jamais plus on ne les revit de ce côté-ci de la rivière.

Depuis ce temps, il paraît qu'il existe, plus au nord, une tribu très farouche formée d'Amérindiens qui marchent tous sur la tête. Un seul petit garçon, encore bébé, tout à fait différent des autres, se tient debout sur ses jambes et marche avec ses pieds...

Table des matières

Un mot sur l'illustrateur

Simon Trudeau fait ses premiers pas (non pas sur sa tête qui, elle, est le plus souvent dans les nuages) dans le monde du livre pour enfants. Avec son crayon il part à la recherche d'univers fantaisistes. Il rencontre ainsi une grande quantité de personnages farfelus qui attendent de connaître de joyeuses aventures. Pour l'instant, son complice le gros chat-Erbert les observe et approuve en clignant des yeux. Dans cet atelier, où somnole le chat-Erbert, Simon fabrique aussi des chapeaux rigolos.

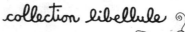

À partir de 7 ans...

La collection Libellule te propose des petits romans palpitants écrits par des auteurs qui connaissent bien les jeunes. On y trouve des personnages attachants qui évoluent dans des situations où l'humour et la joie de vivre sont toujours présents.

Les petites feuilles placées devant chaque titre indiquent le degré de difficulté du livre.

🌿 lecture facile
🌿🌿 lecture moins facile

Bonne lecture !

CÉCILE GAGNON

collection libellule

À partir de 7 ans

As-tu lu les livres de la collection Libellule ? Ce sont des petits romans palpitants. Ils sont SUPER ! Si tu veux bien t'amuser en lisant, choisis parmi ces titres.

Les oreilles en fleur
Lucie Cusson

Pour échapper à ses problèmes, Simone s'enfuit dans la nuit avec une amie très « spéciale ».

La pendule qui retardait
Marie-Andrée et Daniel Mativat

Qu'arrivera-t-il à cette pendule qui retarde d'une minute quand elle apprendra que le sort du monde est lié à chacun de ses tics et de ses tacs ?

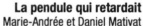

Les sandales d'Ali-Boulouf
Susanne Julien

Ali-Boulouf porte des sandales qui le mettent dans un drôle de pétrin. Moulik, gamin plein d'astuce et de débrouillardise sauvera-t-il son oncle de la prison ?

Le lutin du téléphone
Marie-Andrée et Daniel Mativat

Viremaboul est un maître en farces et attrapes. Dans son logis, au creux d'un sapin, il mène une existence agréable jusqu'au jour où…

collection libellule

Le bulldozer amoureux
Marie-Andrée Boucher Mativat

Cinq tonnes de muscles d'acier, la force de soixante chevaux, rien ne résiste à Brutus. Pourtant, un soir d'été…

Nu comme un ver
Daniel Wood

Simon découvre que la marée a emporté ses vêtements. Comment va-t-il parvenir à rentrer tout nu chez lui à l'autre bout de la ville ?

L'ascenseur d'Adrien
Cécile Gagnon

L'opérateur de l'ascenseur et le portier d'un vieil hôtel sont mis à la porte. Mélanie et Ange-Aimé vont former avec eux la plus sympathique des entreprises de recyclage.

La sorcière qui avait peur
Alice Low

Ida, la petite sorcière, est désespérée : elle ne réussit pas à faire peur. Heureusement, un gentil fantôme vient à sa rescousse.

Barbotte et Léopold
Pierre Roy

Un petit garçon plein d'affection pour son grand-père nous offre un coup d'oeil décapant sur l'univers des personnes âgées et malades.

collection libellule

Moi, j'ai rendez-vous avec Daphné
Cécile Gagnon

Voici la courte biographie d'un chat ordinaire. Il partage le logis de Noémie qui lutte avec détermination pour devenir écrivaine.

Un fantôme à bicyclette
Gilles Gagnon

Jasmine est propriétaire d'une bicyclette. Avec son ami Tom-Tom elle tente de déjouer les mystifications de l'étrange «fantômus biclettus».

GroZoeil mène la danse
Cécile Gagnon

Un épisode de la vie mouvementée des chats danseurs: Daphné et GroZoeil. Cette fois, ils deviennent les vedettes d'une campagne de publicité.

Moulik et le voilier des sables
Susanne Julien

Moulik et ses amis construisent un drôle de voilier. Comment se terminera leur voyage dans le désert et leur visite d'une oasis ?

Kakiwahou
A. P. Campbell

Voici l'histoire d'un petit Amérindien qui vit sur les bords de la Miramichi. Il ressemble à tous les autres sauf… pour sa façon de marcher.

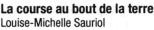

collection libellule

La course au bout de la terre
Louise-Michelle Sauriol

En Alaska, c'est la grande course de chiens de traîneau. Près de 2 000 km à franchir. Yaani se lance à l'aventure avec ses huit chiens esquimaux. Quel défi!

Où est passé Inouk ?
Marie-Andrée Boucher Mativat

François et Sophie partent à la pêche sur la glace. Mais ils n'y vont pas seuls. Ils décident d'emmener leur chien, Inouk. Est-ce vraiment une bonne idée ?

Une lettre dans la tempête
Cécile Gagnon

En plein hiver, à Havre Aubert, aux Îles-de-la-Madeleine, le câble télégraphique qui relie les îles au continent se casse. Comment faire parvenir un message important quand on est coupé de tout ?

Mademoiselle Zoé
Marie-Andrée et Daniel Mativat

Une maladresse de son maître, l'émir Rachid Aboul Amitt, force Zoé à quitter son pays, le Rutabaga, pour aller vivre en Fanfaronie. S'adaptera-t-elle à sa nouvelle existence ?

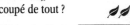

Un chameau pour maman
Lucie Bergeron

Pourquoi Nicolas a-t-il tant besoin d'un chameau pour sa mère ? Est-ce pour son cadeau d'anniversaire ? Ou parce qu'elle prépare une étude sur les animaux d'Afrique ? Et si c'était pour une autre raison…

collection libellule

La planète Vitamine
Normand Gélinas

Fiou et Pok, les aides du professeur Minus débarquent sur la planète Vitamine. Un intrus a convaincu les tomates de recevoir un traitement aux engrais chimiques.

La grande catastrophe
Lucie Bergeron

La radio annonce que le réchauffement de la planète va atteindre son maximum. Comment Samuel et Étienne vont-ils empêcher leur fort de neige de se transformer en flaque d'eau ?

Une peur bleue
Marie-Andrée Boucher Mativat

Une grande chambre, un mobilier tout neuf, voilà des propositions emballantes. Pourtant, Julie a de bonnes raisons d'avoir peur d'aller coucher au sous-sol.

La sirène des mers de glace
Louise-Michelle Sauriol

Soudain la banquise craque. Yaani est emporté à la dérive. Il tombe au fond de l'océan. Son étoile magique, devenue étoile de mer, l'entraîne dans une aventure fantastique.

collection libellule

Dans la même collection

ACHEVÉ D'IMPRIMER
EN MARS 1993
SUR LES PRESSES DE
PAYETTE & SIMMS INC.
À SAINT-LAMBERT, P.Q.